喜羊羊与灰太狼

Pleasant Goat and Big Big Wolf

② 迷糊草

S0-AFI-077

童趣出版有限公司编　　人民邮电出版社出版

北京

主要人物介绍

喜羊羊： 族群里跑得最快的羊，乐观、好动，永远带着微笑。他总能识破灰太狼的阴谋诡计，拯救羊羊族群的生命，是羊氏部落的小英雄。

美羊羊： 美女羊，心灵手巧。她还是营养学家、美容师、模特儿……一切与"美"有关的事她都精通，是大家跟风模仿的对象。

懒羊羊： 最聪明的小肥羊之一，最喜欢的运动是睡觉。他聪明机智，而且临危不乱，总是一副大智若愚、举重若轻的样子。

沸羊羊： 最健壮的羊，也是最鲁莽的一只羊。经常是一副很酷的样子，总爱持反对意见，以为自己英伟不凡，天下无敌，其实很多时候都无能为力。

慢羊羊： 羊村村长，最年长的羊。博览群书，平时最爱搞小发明，是个乌龙发明家，但危急时又能派上用场。动作总是慢吞吞的，常把身旁的羊急死。

灰太狼： 住在青青草原对面的森林里，是个"聪明"又倒霉的坏蛋，爱钻研抓羊技巧，一有机会就去骚扰羊部落。他永远想偷羊吃，却永远被羊羊们打败。

红太狼： 灰太狼的老婆，贪婪、虚荣、狠毒。虽然长得一般却总打扮得华丽高贵，自以为天下最美。总是逼着灰太狼去抓羊，自己却坐享其成。

在羊村教室······

嘿！嘿！

哎呀！

上课啦！

安静！

明天郊游,大家有什么打算？

当然是玩啦！

玩些什么呢？

你们就知道玩。

让你们郊游是想让你们多了解一点草的知识。

有必要吗？我们可都是吃草长大的。

是吗？你们知道这是什么草吗？

害羞草！

你们怎么知道的？

上面写着的……

噢！那你们知道它有什么特性吗？

就是害羞，一碰它的叶子就会收起来。

嘿嘿！

嗯？怎么不动？

我拿给你们看一下吧！

啊！我动！

看你动不动，嘿嘿！

这还差不多。

啪！

哎！

5

在狼堡……

唉，都没米下锅了！

这时……

我没有啊！

干什么鬼鬼祟祟地回来，做了亏心事了？

我还是去躲躲吧！

你跑什么呀？

哎哟！

我……我是怕你又问我捉羊的事。

噗！

噗！

喂！上哪儿去？

7

真是的，我们已经一个月没吃东西了！

你快想想办法吧。

啊，有了！

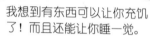

我想到有东西可以让你充饥了！而且还能让你睡一觉。

不一会儿……

来，试一下这个迷糊草沙拉。

看着还不错。

那好吧。

可能躲到哪儿睡觉去了，我们再找找吧。

哎哟！

哈哈，就放这儿吧。

野餐桌

你说懒羊羊到底跑哪儿去了呢？

不知道啊！

一大早就不见了。

就是呀，害得校长叫我们到处找他。

好痛啊！

这样吧，我们再到那边去找找。

呜！

呜！我的尾巴，待会儿我再收拾你们。

嘿嘿……

过了一会儿……

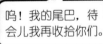

13

怎么还没来？

哈哈，来啦！

不是说来郊游的吗？怎么一个羊影都不见？

咕！咕！

哎哟，好饿啊！

啊！有好吃的！

啊！看着不错啊！

嗯！好吃！

呼！呼！

嗯！好吃！

呃！

啊！

哈哈，太好啦！

捉不到全部的羊，捉住懒羊羊也不错。

怎么回事？

走啊！走啊！

小肥羊跟我回家去。

哎哟!

你的头发好像好长哦!

啊!

飞碟啊,快看!

我还是快跑吧!

没有啊?

你跑什么呀?我还没剪呢。

啊！你怎么在这儿？

哦，我明白了，懒羊羊吃得太多了。

啊！不要！

你头发太长了，给你理发啊。

嘿嘿！

你太客气了，不用了。

哎呀！

我剪！

我剪！

我跑。

啊！救命啊！

啊！

哎哟！悬崖？

啊！

扑通！

嘿！

啊！

充气飞船

在狼堡……

一只巨大的充气飞船马上就要造好了。

啦啦啦，我的指甲真漂亮，啦啦！

嗨哟！

此时一阵轰隆声……

啊！

气死我了！这又是灰太狼干的好事！

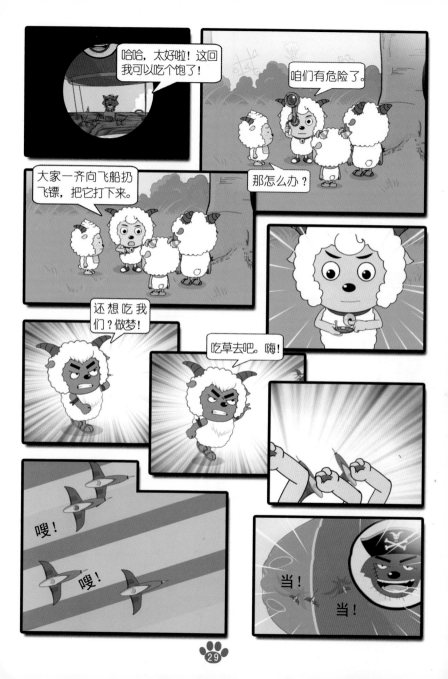

当!

哈哈！飞镖没有用。

呜呜，喜羊羊，怎么办呀？

有办法了！沸羊羊，等飞船降低时你拿标枪刺穿它。

好！

你们还是乖乖当我的晚餐吧！

呀……嗨！

嗖！

我也讨厌，可是这是唯一的方法了。

你不知道我最讨厌蜘蛛的吗？

等我放走苍蝇皇后，蜘蛛就会跟着离开了。

啊！

嗡嗡，嗡嗡嗡……

嘿……嘿！

走开！

啊，救命呀！

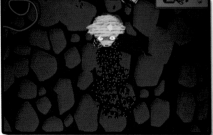

啊，啊，哎哟！

你忍一忍，等我把飞船铺上蜘蛛膜就来救你。

灰太狼，我跟你没完！

在羊村……

今天继续讲，青草的营养……

咦，那是什么？

哈哈哈！这回你们可逃不了啦！

村长，您看，飞船又来了！

嗯……呀，真的来了！

我想送你到河里喂食人鱼去。

你要干什么？

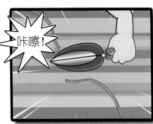

咔嚓！

啊，不要，不要啊！

啊，救命！救救我啊！

咔嚓！

啊，救命！

啊，啊，救命！

啊！

扑通！

在狼堡……

灰太狼！

灰太狼，你又在搞什么名堂！

哈哈！别生气了。

你看，这回我做了全钢丝的飞船，一定能去羊村的。

村长，这回灰太狼用钢丝代替了绳子。

还有一个金属的吊篮，这只飞船看起来坚固多了。

什么？你说飞船是金属的？

是呀，是金属的。

用投石器装上人造雨的化学材料投到天上去。

那就容易对付了，大家把投石器推出来。

是！

哈哈！看把他们吓的，都逃跑了。

CO_2

灰太狼，你带伞了吗？

好，放啦！

好，沸羊羊，放风筝吧！

没有啊，谁知道会下雨呀！

咦？快下雨了，他们还放风筝啊？

灰太狼，这风筝下面好像写着什么？

嗨，拿来看看就知道了。

小心雷击

轰隆隆！

嗞！

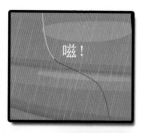
嗞！

怎么了？

啊，救命呀！
啊……啊！

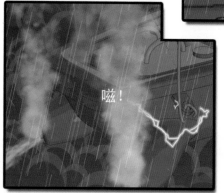
嗞！

啊！

轰！

啊，不要啊！
救命！

完

扑通！

在羊村……

嘿嘿！

嗨，小姑娘，平时那位胖帅哥到哪里去了？

我……我……我脸上长痘痘，都不漂亮了。

他去洗手间了，我替他站一会儿岗。

哦，小姑娘，我看你怎么不开心呢？

啊？那我们一定要把她找回来！

不过，在行动之前，我们最好先睡一觉休息休息。

啊！

在狼堡……

哈哈！

咕嘟！

嗨哟……

美羊羊，不，丑羊羊，你知道我想吃羊肉等了多久啦？

嘿嘿，吃肥羊啦！

红太狼，其实你也不丑，就是平时没有好好护理。

我变得这么丑了，回去肯定被他们笑话。

我有办法让你变得和我以前一样漂亮。

哦？是什么办法？

只要采一些草药，把它们晒干，磨成粉，涂在脸上……

红太狼，不能相信她！

别吵！

啪！

哇！我饿呀，我要吃羊肉！

别吵了，你就知道吃！

没关系，你解开我，我可以教你采。

你要是逃跑了怎么办？

可是我不知道采哪些草药啊？

好吧。

我不会跑的。

在狼堡外⋯⋯

而且我跑得没你快，就算跑了也会被你抓回来的。

哦，到狼堡了。

瞧，狼的脚印到这里就没有了。

嘿嘿，采草药喽！

红太狼，你记住了，这个是对你皮肤有好处的。

嗯，我记住了。

哦？这种草……

慢羊羊以前用过，这是黏性很大的草哦！

喜羊羊，你见过狼这么听羊的话吗？

从来没有。

红太狼，还有这种草，也是对皮肤好的。

哇，我就要变漂亮了！

嘿嘿，那现在我们要怎么做呢？

＋ ＋ ＋ ＝ 万草药

呵呵，我们要用珍珠草，加上美人草……加上灵芝草，做成万草药，再用它做成敷脸的面膜。

过了一会儿，面膜做好了……

美羊羊，你先涂上看看。

好啊，你看啊！

这样就好了。

哦，是美羊羊啊！

又过了一会儿……

呀，如果我把全身都涂一遍，岂不是更美了！

哇，真的呀，痘痘不见了！

那当然啦！

呵呵，不用怕，她现在动不了了。

哈哈！吃我们吧，吃我们吧，愚蠢的狼！

别跑，别跑！

我们回去吧！哈哈！

啊，放我出去！

啊！！！

哈哈，回家啦！

完

地道战

在狼堡……

呵，灰太狼可真逍遥啊！

为了让森林里的小动物到湖心岛上游玩……

森林电台
新闻联播

ZZZ

森林委员会决定委派钻地鼠和穿山甲开挖隧道……

啊噢！

隧道？哈哈，好主意，太妙啦！

智取羊村军事分析图

狼堡

羊村

河

地　下

狼来啦！狼来啦！

不许动！

肥的站左边，瘦的站右边，不肥不瘦的站中间！

哆哆哆！

哈哈！

我先去量一量河的深度，然后挖隧道抓羊！

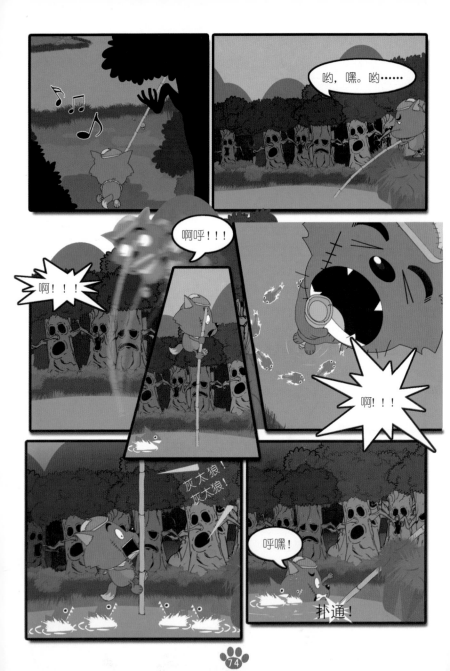

哗啦！

讨厌！讨厌！走开！

哗啦！

鳄鱼！！！

嘿嘿！讨厌的鱼终于跑了。

咦？？？

嘿，你逃不出我的眼睛！

就在这时……

嘻嘻

是向东边挖吧……

砰！

砰！

哎哟！

……

哼！

全部给我举起手来！

这……这是什么地方？

嗖！

嗖！

咚！

灰太狼还在努力地挖着隧道……

咚！咚！

等我抓到你们，

一定不分男女老少，毛色、品种，一律先蒸后焗，一只不留！

嘿嘿！！！顺着路标挖就能找到羊村了！

灰太狼拼命挖，终于……

哈哈

呃？

在漆黑的森林里……

啾！啾！

这是什么地方？

此时，在狼堡……

一会儿，我把羊从洞里赶出来，你就抓住他们，记住了。

哈哈，来了！

噗！

这只小肥羊真是有点重啊。

咚！

呜呼！

图书在版编目(CIP)数据

喜羊羊与灰太狼. 2，迷糊草 / 童趣出版有限公司编.

—北京：人民邮电出版社，2007. 4

ISBN 978-7-115-16041-6

Ⅰ. 喜… Ⅱ. 童… Ⅲ. 图画故事—中国—当代 Ⅳ. I287. 8

中国版本图书馆CIP数据核字（2007）第044981号

喜羊羊与灰太狼2
迷糊草

出 版 人：侯明亮
图书策划：范　萍
责任编辑：关　健
封面设计：杜　平
排版制作：孙　羽
根据广州原创动力动画设计有限公司制作的动画片改编　www.22dm.com

出版发行：童趣出版有限公司编
　　　　　人民邮电出版社出版
地　　址：北京东城区交道口菊儿胡同7号院（100009）
印　　刷：北京三益印刷有限公司
经　　销：新华书店总店北京发行所
开　　本：787×1092　1/32
印　　张：3
版　　次：2007年4月第1版　2009年7月第21次印刷
字　　数：75千
书　　号：ISBN 978-7-115-16041-6/G
定　　价：10.00元

www.childrenfun.com.cn
读者热线：010-84180588
经销电话：010-84180552

···◄ 独家预告 ►···

慢羊羊过大寿，很多亲朋好友都送来生日礼物。站岗的沸羊羊几经波折，把灰太狼的神秘礼物背回了羊村，却不知这份礼物将会给羊村带来危险。这次又是谁拯救了羊羊部落呢？